NICK

Méchant Minou et le bébé

Texte français d'Hélène Pilotto

À Emma, Isaac,
Lila, Will
et Isabel

Catalogage avant publication de Bibliothèque et Archives Canada

Bruel, Nick, auteur, illustrateur
[Bad Kitty meets the baby. Français]

Méchant Minou et le bébé / auteur et illustrateur,
Nick Bruel; traductrice, Hélène Pilotto.

Traduction de: Bad Kitty meets the baby.

ISBN 978-1-4431-2974-9 (br.)

I. Pilotto, Hélène, traducteur II. Titre.
III. Titre: Bad Kitty meets the baby. Français

PZ23.B774Med 2013 j813'.6 C2013-902459-X

Édition publiée par les Éditions Scholastic,
604, rue King Ouest, Toronto (Ontario) M5V 1E1.

5 4 3 2 1 Imprimé au Canada 139 13 14 15 16 17

• TABLE DES MATIÈRES •

INTRODUCTION
AU DÉBUT 4

CHAPITRE 1
UN COURT VOYAGE... 19

CHAPITRE 2
C'EST QUOI CE TRUC-LÀ? 39

CHAPITRE 3
UN AUTRE @☠#*%$ CHIEN! 51

CHAPITRE 4
LES FÉLYMPIQUES 70

CHAPITRE 5
NOTRE PROGRAMMATION HABITUELLE :
LA MÉGA CRISE DE COLÈRE 113

CHAPITRE 6
UN NOUVEAU DÉPART 132

ANNEXE 142

• INTRODUCTION •

AU DÉBUT

AU DÉBUT, IL Y AVAIT MINOU.

Juste Minou.

Seulement Minou.

Que Minou, personne d'autre.

Et c'était parfait comme ça.

Minou mangeait seul.

Minou jouait seul avec ses jouets.

Minou dormait seul sur le sofa.

Les années passaient et Minou était toujours heureux de manger seul, de jouer seul et de dormir seul. Tout était parfait comme ça.

... le ciel s'est assombri, le sol s'est mis à trembler, l'air est devenu froid et humide, et s'est rempli d'une odeur nauséabonde.

Une bête puante et misérable est sortie de nulle part.

La pauvre créature était difforme et grotesque. Son gros museau noir était toujours froid et humide. Son haleine était tellement chaude et tellement fétide qu'elle aurait couvert l'odeur d'une centaine de poissons morts laissés au soleil. De plus, le truc immense et constamment béant, qu'elle appelait sa gueule, semblait rempli d'un liquide clair et nocif qui dégoulinait sans cesse par terre.

Mais le pire du pire, pire encore que sa laideur, que son odeur fétide et même que l'interminable filet de bave qu'elle laissait derrière elle partout où elle allait, c'était…

… que l'affreuse bête ne semblait jamais dormir.

Avec courage, Minou s'est battu pour chasser la bête cruelle de son royaume si paisible autrefois. Malheureusement, même lui n'était pas assez puissant pour vaincre la créature maléfique.

Chaque fois que Minou affrontait la bête hideuse, celle-ci le barbouillait de son liquide puant et huileux comme si elle s'apprêtait à le dévorer tout rond.

Survivre était devenu un défi quotidien pour le pauvre Minou.

Avec le temps, Minou s'est habitué à vivre aux côtés de la bête. Il parvenait même à endurer son odeur horrible. Le brave Minou avait déniché des endroits où il pouvait se mettre à l'abri de la bête et de son affreux liquide.

Parfois, même s'il ne l'admettrait jamais, il en venait presque à la trouver attachante.

Enfin presque.

La vie n'était plus comme avant, mais elle redevenait agréable.

Mais Minou était loin de se douter que quelqu'un d'autre allait bientôt encore changer sa vie.

• CHAPITRE 1 •

UN COURT VOYAGE...

BONJOUR, MINOU!

Tu dois te demander pourquoi il y a tant de bagages ici.

C'est parce qu'on part en voyage. Un voyage très spécial!

Euh... En fait... NOUS partons en voyage quelque temps. C'est dommage, Minou, mais tu dois rester à la maison avec Toutou.

Oh, ne le prends pas comme ça, Minou! On ne sera partis qu'une petite semaine. Et quand on reviendra, on aura une belle grosse surprise pour toi.

LA DERNIÈRE
« BELLE GROSSE
SURPRISE »

Pendant ce temps, c'est le bon vieil oncle Maurice qui va rester ici. Il a accepté de prendre bien soin de vous durant notre absence. N'est-ce pas gentil de sa part?

Salut, le chien. Salut, chat bêta. On va bien s'amuser tous les trois, pas vrai?
SLLAP!

Minou, promets-nous de bien écouter oncle Maurice. Joue gentiment avec Toutou et tâche de ne pas mettre toute la maison à l'envers.

Ah, pas de problème! On va bien s'entendre! Pas vrai, le chat?

Au revoir, Minou! Au revoir, Toutou! Au revoir, oncle Maurice! Bonne semaine!

Salut! Amusez-vous bien! Ne vous inquiétez pas, ça va bien se passer!

1ER JOUR

Allô, les pompiers?
Bonjour. Mon chat est
coincé dans un arbre.
Pouvez-vous venir le plus
vite possible? Merci.

MIAOU
WOUF
PCHIII
GRR

2E JOUR

Allô, les pompiers?
Bonjour. Mon chien
est coincé dans
un arbre. Oui,
j'ai bien dit
« un chien ».
Pouvez-vous
venir
tout de
suite?
Merci!

GRR
MIAOU
GRR
MIAOU

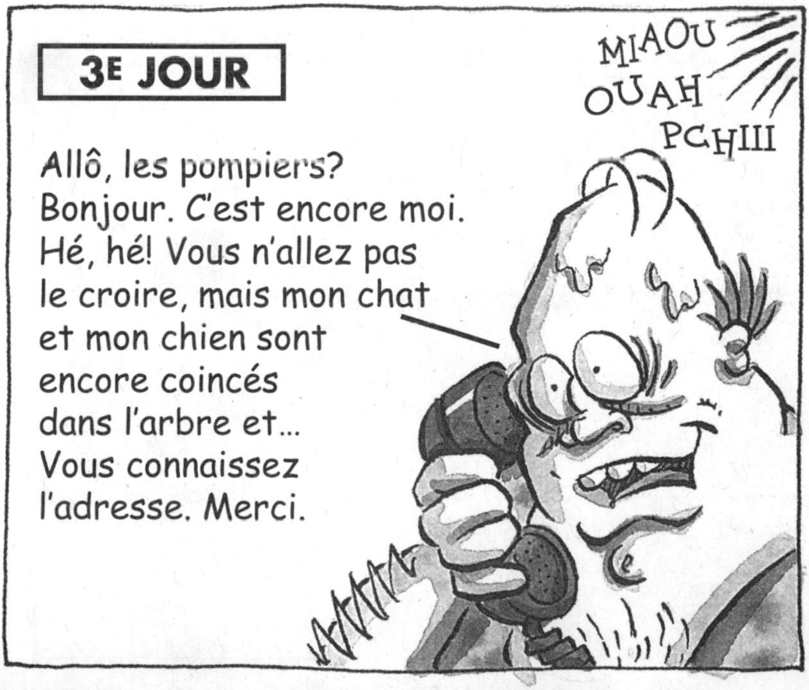

3E JOUR

MIAOU
OUAH
PCHIII

Allô, les pompiers?
Bonjour. C'est encore moi.
Hé, hé! Vous n'allez pas
le croire, mais mon chat
et mon chien sont
encore coincés
dans l'arbre et...
Vous connaissez
l'adresse. Merci.

4E JOUR
Allô, les pompiers? Bonjour. Vous n'allez toujours pas le croire, mais cette fois, c'est moi qui suis pris dans l'arbre. C'est une drôle d'histoire. Voyez-vous... Allô? Allô?
MIAOU GRR FFT FFT
5E JOUR
Allô, les pompiers? Bonjour. J'suis toujours dans l'arbre, alors, si jamais vous avez un moment...
WOUF PCHIII GRR

6E JOUR

Allô, les pompiers? Bonjour. Ouaip, c'est encore moi. Eh bien... cette fois, c'est un frigo qui est dans l'arbre. Oui, oui, un frigo. En fait, le chat pourchassait le chien et... Allô? Allô?

MIAOU
OUAH
FFT FFT
WOUF

7E JOUR

Allô, la pépinière? Bonjour. J'aurais besoin d'un nouvel arbre...

PCHIII
GRR
MIAOU
WOUF

MONONC' MAURICE, LE CURIEUX

POURQUOI LES CHATS GRIMPENT-ILS AUX ARBRES?

Parce qu'ils sont #@% dans leur tête, voilà pourquoi!

Tous les chats aiment grimper aux arbres. Même de gros félins comme le lion et le jaguar le font (mais pas la plupart des tigres). Ils font ça pour trois raisons.

1)

Les chats aiment grimper aux arbres... parce qu'ils aiment ça, tout simplement! Comme ils ne sont pas très grands, grimper leur permet d'avoir une bonne vue des environs. De plus, grimper aux arbres leur donne la chance d'aiguiser leurs griffes, ce qu'ils font constamment de toute façon.

Et plus ils grimpent haut, moins ils ont d'air. *C'est* pour ça qu'ils deviennent complètement #%&*@ du ciboulot!

2) 

Les chats grimpent aussi aux arbres parce qu'ils sont des prédateurs, c'est-à-dire qu'ils chassent d'autres animaux. S'ils cherchent à avoir une bonne vue sur leur territoire, c'est entre autres pour trouver à manger. Ça tombe bien : de savoureuses bestioles, comme des oiseaux et des écureuils, nichent dans les arbres.

Des écureuils?! Ils mangent des écureuils?! Je savais qu'ils mangaient des oiseaux, mais des écureuils?! Ça prouve bien que les chats sont #%&*@!

3) Si les chats sont des prédateurs, ils sont aussi des proies à l'occasion. En effet, d'autres gros animaux – les chiens, par exemple – s'attaquent parfois à eux. Grimper aux arbres leur permet donc d'échapper au danger.

Allons donc! Ce chien ne ferait pas de mal à une mouche!

UNE SEMAINE PLUS TARD...

Merci beaucoup, oncle Maurice, d'avoir si bien pris soin de Minou et de Toutou. J'espère qu'ils ont été sages.

Au revoir, oncle Maurice!

Bonjour, Minou. Quoi! Tu nous en veux encore d'être partis sans toi, pas vrai? Eh bien, on a de quoi te rendre le sourire! Te souviens-tu de la belle grosse surprise qu'on t'avait promise? Tu t'en souviens, pas vrai? Hein?

EH BIEN, LA VOICI!

• CHAPITRE 2 •

C'EST QUOI CE TRUC-LÀ?

C'EST QUOI
CE TRUC-LÀ ?

BONJOUR TOUT LE MONDE!
BIENVENUE DANS LE CERVEAU
DE MÉCHANT MINOU ET AU JEU

C'EST QUOI
CE TRUC-LÀ?

ET BIENVENUE UNE FOIS DE PLUS À NOS TROIS CONCURRENTS HABITUELS : PANIQUE, GLOUTON ET DODO!

PANIQUE, LA SEMAINE DERNIÈRE TU AS BRILLÉ EN IDENTIFIANT LA BOULE DE POUSSIÈRE SOUS LE SOFA COMME ÉTANT « UN GENRE DE COQUERELLE MONSTRE QUI VA TOUS NOUS MANGER », ALORS TU SERAS LE PREMIER À JOUER À **C'EST QUOI CE TRUC-LÀ?**

Misère! C'est gros. C'est vraiment gros! Et ça bave beaucoup! Je n'ai jamais rien vu de pareil! Je devrais l'attaquer. Une minute... Je devrais plutôt m'enfuir! Non, attendez... Je devrais l'attaquer! Non, euh...

GLOUTON, C'EST TON TOUR DE JOUER À
C'EST QUOI CE TRUC-LÀ?

Je l'ignore, mais ça sent drôle... un peu comme un taco au foie et au poisson, garni d'oignons.

GLOUTON

DODO, C'EST TON TOUR! ALORS, DIS-NOUS,
C'EST QUOI CE TRUC-LÀ?

BIEN VU, TOUT LE MONDE! C'EST GROS, ÇA BAVE, ÇA DÉGAGE UNE DRÔLE D'ODEUR ET C'EST TRÈS BRUYANT! QU'EN PENSES-TU, PANIQUE? AS-TU UNE IDÉE?

Misère! Ça va mal! Très mal! Très, très mal! On devrait l'attaquer! Une minute... On devrait plutôt s'enfuir! Non, attendez...

GLOUTON! QU'EN PENSES-TU, MON AMI?

J'adore le lait. J'adore le thon. J'adore les tacos. Mais quand je mélange les trois, j'ai mal au cœur. Malgré tout, ça vaut toujours la peine d'essayer.

RIEN À AJOUTER, DODO?

VOTRE TEMPS EST ÉCOULÉ, CHERS CONCURRENTS! VOUS DEVEZ ME DONNER VOTRE RÉPONSE. JE VOUS RAPPELLE LES INDICES : C'EST GROS, ÇA BAVE BEAUCOUP, ÇA SENT DRÔLEMENT MAUVAIS ET C'EST BRUYANT.

CHERS CONCURRENTS, ÇA NE PEUT VOULOIR DIRE QU'UNE CHOSE! CE TRUC-LÀ, C'EST...

UN AUTRE @☠ϟ✳✿ CHIEN!

• CHAPITRE 3 •
UN AUTRE
CHIEN!

Eh bien, Minou, que penses-tu de notre belle surprise? Elle est mignonne, pas vrai?

MIAOR RIAOR

FFT FFT MIAOR

PCHIII FFT GRRRR

RIAOR PCHIII

PCHIII FFT

RIAOR

GRRRR FFT FFT PCHIII

Oh, Minou! Sois gentil. Elle ne te veut aucun mal. D'ailleurs, vous avez plusieurs choses en commun, tous les deux. Vraiment.

Pour te le prouver, j'ai invité tous tes amis. Je veux qu'ils rencontrent le nouveau membre de notre famille.

DING-
DONG!

Regarde, Minou! Tous les chats du voisinage sont là! Grâce à eux, tu vas comprendre que tu n'as pas à t'inquiéter!

* On aurait pu arriver plus tôt, mais on a croisé un truc vraiment bizarre qui roulait dans l'herbe. Ça aurait pu être un serpent, un tatou ou un emballage de hamburger. On voulait s'assurer que ce n'était pas un emballage de hamburger... alors on s'est

Oooh! Que c'est mignon! Ils l'aiment déjà. Tu vois, Minou? Tu devrais avoir honte de ton attitude.

tous arrêtés pour renifler le truc à tour de rôle, au cas où il resterait un bout de hamburger dedans, mais il n'y en avait pas, ce qui était plutôt décevant. On a fini par se rendre compte que ce n'était pas un serpent ni un tatou (mais peu importe).

Regarde! Gros Minou la trouve grande!

Oooh! Que c'est mignon! Gros Minou la prend pour un chat!

Les jumeaux ont remarqué qu'elle aime jouer avec leur souris en tissu. Eux aussi, ils pensent qu'elle est un chat!

Sale Minou, lui, remarque… euh… qu'elle dégage une forte odeur. Sale Minou doit penser qu'elle est un chat.

Chat-Blabla remarque qu'elle aime bavarder. Il pense qu'elle est un chat.

* J'aime le poulet. J'aime le thon. J'aime le maquereau. J'aime...

Jolie Minette remarque qu'elle est douce et délicate. Elle aussi semble penser qu'elle est un chat.

Qu'en penses-tu, TOI, Minou Tout-fou?

Dans le numéro 189 de GALACTICHAT, quand le vaisseau Futurofélin V traverse la galaxie et atterrit sur la planète de la Panthère pourpre, que dit la reine Jaguar à Puissant Minou pour l'aider à changer Odieux Ocelot, son ennemi juré, en un bloc de gorgonzola de 20 kilos?

AREUH
GAREUH
BLA BLOU
HIIII!

Seul un chat pouvait savoir ça!
C'est officiel : elle est des nôtres!
Ça veut donc dire que c'est l'heure...

DES JEUX FÉLYMPIQUES!

AREUH GAREUH BLA BLOU HIIII!

MIAOU

MONONC' MAURICE, LE CURIEUX

POURQUOI LES CHATS RESTENT-ILS COINCÉS DANS LES ARBRES?

Faut-il vraiment parler de ça? Je viens de rentrer chez moi et j'suis crevé!

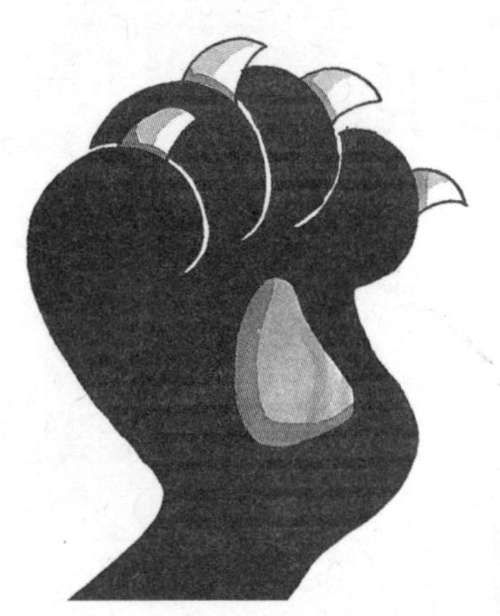

En examinant attentivement les griffes d'un chat, on remarque qu'elles sont courbées vers l'intérieur. Cela explique à la fois la grande facilité du chat à grimper aux arbres... et le mal qu'il a à en descendre, à moins d'y aller à reculons. Si cette manœuvre semble évidente pour le commun des mortels, elle n'est pas du tout naturelle pour le chat. Penses-y : on voit rarement un chat marcher à reculons!

J'ai descendu ce chat bêta du haut d'un mur il y a quelques jours et ça a été une des pires expériences de ma vie!

Quand un chaton ou un chat inexpérimenté grimpe trop haut, il ne sait plus comment redescendre, car il est conscient que sauter en bas est dangereux. Pire encore, sa peur le pousse souvent à grimper plus haut dans l'espoir de trouver un autre chemin pour descendre de l'arbre.

Ce n'est pas du tout ce que j'ai fait quand je suis resté coincé dans l'arbre. Voyez-vous, j'ai continué à grimper en me disant que les branches les plus longues se trouvaient forcément en haut et que je finirais par en trouver une assez longue pour me permettre de descendre. Logique, non? Non?!

• CHAPITRE 4 •

LES FÉLYMPIQUES

Eh bien, mon vieux, il fait un temps superbe ici, dans le salon, et je crois qu'il n'y a pas de meilleure façon de célébrer l'arrivée de ce nouveau chaton qu'en organisant une fois de plus...

LES JEUX FÉLYMPIQUES!

En effet, MTF, les conditions sont idéales pour la tenue des jeux. Le tapis a justement été nettoyé il y a deux jours!

Les jeux donnent toujours lieu à des moments palpitants. Tous les chats du voisinage mettent de côté leurs différences et compétitionnent en démontrant un véritable esprit sportif.

Vous m'excuserez si l'émotion m'envahit durant la journée. Je me fais vieux.

Bien sûr, MTF, je comprends tout à fait.

Les athlètes font leur entrée! Quel groupe coloré nous avons sous les yeux!

Je sais que je me répète, MTF, mais l'entrée des athlètes est vraiment mon moment préféré des jeux.

Voici Gros Minou! On voit tout de suite qu'il s'est entraîné!

Les jumeaux ont l'air d'attaque. De vrais champions, ces deux-là!

Comme toujours, Jolie Minette a fière allure! Pffff!

Juste derrière elle, on aperçoit Sale Minou, plus puant que jamais! Aargh!

Et voici Chat-Blabla, qui tente d'étourdir ses compétiteurs, comme d'habitude.

Enfin, voici notre hôte! Houla! Je ne me souviens pas avoir déjà vu tant de détermination chez un athlète. Ça va chauffer!

MIAOU
MIAOU*

* Saviez-vous que le premier défilé était juste un tas de cailloux qui ont déboulé une colline et sont tombés dans un tuba? C'est vrai! J'ai lu ça quelque part.

Il est suivi par Nouveau Minou. D'après toi, peut-on espérer quelque chose de cette concurrente?

C'est difficile à dire, MTF. Ce qui est sûr, c'est qu'elle est jeune, qu'elle a du cran et qu'elle veut gagner.

Voilà qui promet, chers amis! QUE LES JEUX COMMENCENT!

La première épreuve plaît toujours aux spectateurs. Il s'agit de l'épreuve FIXE-TON-REFLET-DANS-LE-MIROIR-LE-PLUS-LONGTEMPS-POSSIBLE. Jolie Minette demeure la championne à cette épreuve, mais Sale Minou l'a mise au défi.

Jolie Minette s'en tire bien jusqu'à présent, MTF. TRÈS bien, même. Pffff! Elle resplendit littéralement. On a envie de plonger dans l'eau claire de ses yeux. Et sa fourrure... si douce, si soyeuse...

Désolé de t'interrompre, mais il se passe quelque chose sur le terrain!

Sale Minou s'est endormi! Je crois qu'il dort depuis le début de l'épreuve! Il est donc disqualifié! Cela signifie que seuls deux concurrents se font...

Une minute, MTF! Il se passe autre chose!

ZZZZZ

Oooh!

WAHOU! Jolie Minette s'est laissé distraire un instant! Nous avons donc droit à une victoire inattendue de NOUVEAU MINOU!

MTF, me voici dans le salon avec la gagnante.

Quelle belle démonstration, Nouveau Minou! Pouvez-vous nous parler de votre programme d'entraînement?

AREUH BAREUH POUF!

À toi, MTF.

L'épreuve du BAVARDAGE-SANS-FIN appartient à Chat-Blabla depuis des années, mais Gros Minou espère bien lui ravir la victoire. La nouvelle concurrente semble avoir la même ambition, elle qui vient tout juste de remporter un premier titre. Voyons voir!

* La semaine dernière, à la télévision, j'ai vu quelqu'un – je crois que c'était un acteur ou un médecin ou un acteur qui jouait un médecin ou un médecin qui jouait un acteur, mais ça n'a pas vraiment de sens – qui affirmait que les œufs étaient bons pour la fourrure des chats, ce qui m'a semblé vraiment bizarre, car si on frotte nos poils avec des œufs, ils seront collants et dégoûtants.

Comme ce bavardage peut durer des heures, chers amis, n'hésitez pas à aller vous chercher un verre d'eau ou des boules de ouate pour vos oreilles ou...
MIAOU
MIAOU
MIAOU
MIAOU
MIAOU*
BA
BA
BA
BA
BA
* Il devait vouloir dire qu'il fallait d'abord faire cuire les œufs, mais alors, de quelle façon? Les œufs brouillés, c'est bien, mais c'est salissant. Quant aux œufs durs, même si on les pèle, c'est étrange d'en frotter son pelage. J'imagine qu'il vaut mieux faire des œufs au plat. Ceux-là colleraient sûrement très longtemps à ma fourrure, sauf sous la pluie, bien sûr. Dans ce cas, je...

BA!
MI...
MI...

BA!
BA!
BA!

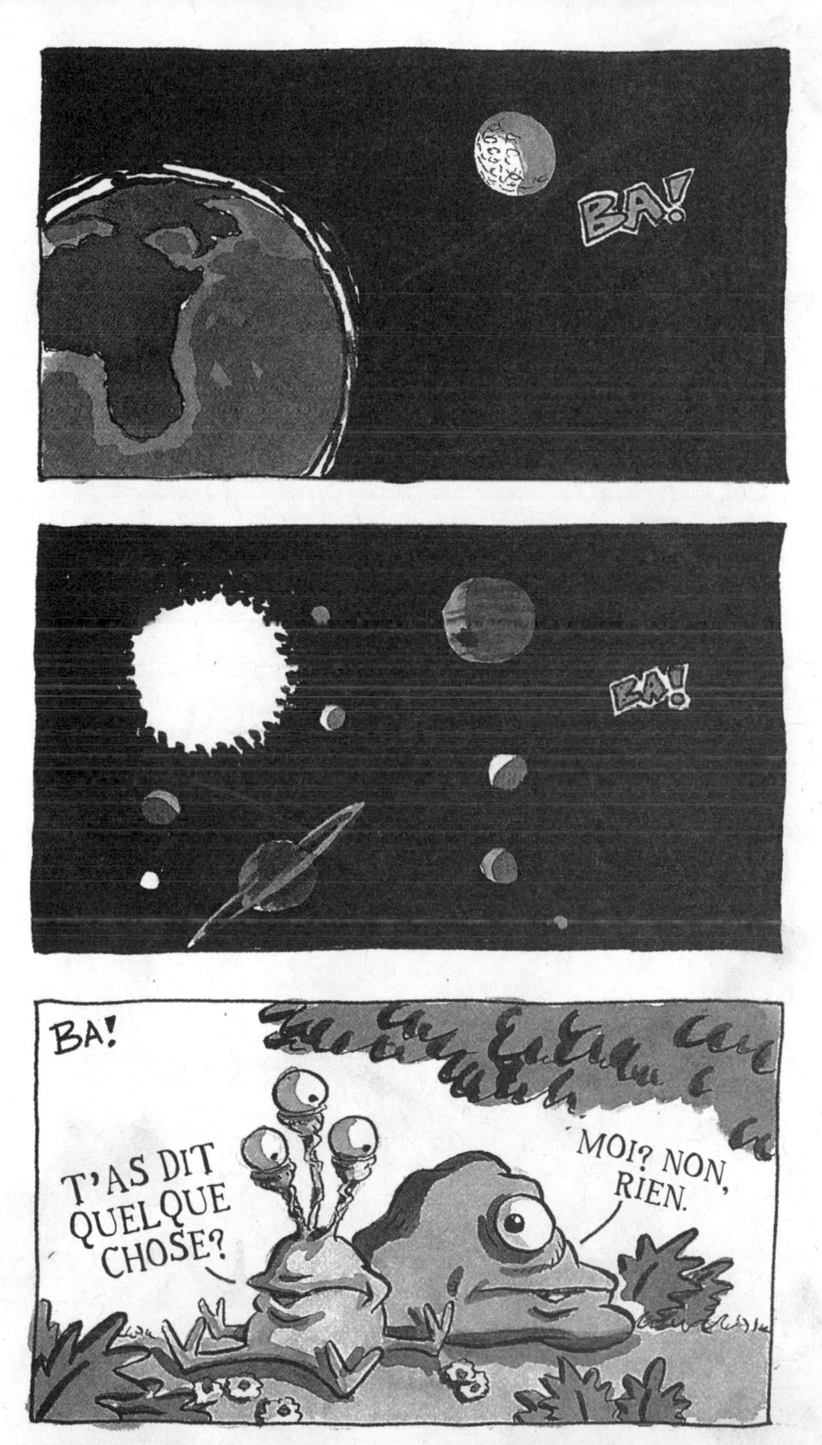
BA!
BA!
BA!
T'AS DIT QUELQUE CHOSE?
MOI? NON, RIEN.

Gros Minou et Chat-Blabla sont tous deux sans voix! Muets comme des carpes! Quelle victoire étonnante pour Nouveau Minou!

BA
BA
BA
HIIII!

Eh bien, chers amis, malgré les protestations des voisins, voici de nouveau le moment de l'épreuve QUI-SENT-LE-PLUS-MAUVAIS, aussi connue sous le nom de QUI-PUE PLUS-QUE-SALE-MINOU. Attention : âmes sensibles, s'abstenir!

Cette année, les jumeaux tentent de relever le défi. D'après les rumeurs, ils se seraient roulés dans la benne à ordures d'un restaurant de fruits de mer et se seraient aspergés de jus d'ail juste avant l'épreuve.

Comme prévu, même les jumeaux semblent incommodés par l'odeur putride de Sale Minou. L'épreuve tire à sa fin.

Une minute! Nouveau Minou s'avance sur le terrain! Cette athlète surprenante menacera-t-elle la victoire de Sale Minou?

Comment pourrait-elle le déloger en fin d'épreuve? Comment pourrait-elle produire une odeur suffisamment nauséabonde pour...

GGNNNNN...

HIIIII!
PROUT!

Quelle athlète impressionnante! Quelle créature féline incroyable! Et quelle championne! Elle vient d'infliger une dure défaite à Sale Minou! Une nouvelle ère vient de commencer! Mes amis, cette journée va entrer dans l'histoire!

MTF, me voici de nouveau sur le terrain en compagnie de la gagnante. La gagnante non pas d'une épreuve, mais des TROIS épreuves qui ont eu lieu jusqu'à présent. Mais... euh... je commence à me sentir mal et... je crois que je devrais m'asseoir... je vois des taches danser... tout noir...

POUAH! Je crois qu'il est temps de changer ta couche, jeune fille. Puis, ce sera l'heure de manger.

C'est maintenant l'heure de la dernière épreuve, celle que nous attendons tous avec impatience. Certains la considèrent comme l'épreuve la plus spectaculaire des Félympiques. C'est sans aucun doute celle qui sépare les matous des chatons. Et je parle bien sûr DE L'ÉPREUVE DE GOINFRERIE!

De toute l'histoire des Félympiques, le seul chat à avoir toujours dominé dans cette épreuve n'est nul autre que notre hôte. Année après année, il a ingurgité une quantité de nourriture inimaginable. Année après année, il a démontré qu'aucun repas n'était trop gros, qu'aucun bol n'était trop profond et qu'aucun menu n'était trop saugrenu pour lui et son extraordinaire appétit.

À TABLE, MINOU!

Y a-t-il parmi vous un chat assez brave, assez fou et assez affamé pour défier le champion en titre? Y a-t-il parmi vous un courageux minou qui souhaiterait mesurer son appétit et son estomac à ceux du maître? Personne? Vraiment? Vous êtes sûrs?

MINOU

Attendez! Serait-ce...? OUI, c'est bien ELLE! Nulle autre que Nouveau Minou! Réussira-t-elle l'impossible en remportant TOUTES les épreuves des Félympiques?

C'EST L'HEURE DU SOUPER POUR TOI AUSSI, MA CHÉRIE!

BANANES
CAROTTES
POMMES
OOOOH!
MINOU

Attention, les athlètes! Vous connaissez le règlement : le premier qui vide son bol gagne!

À VOS MARQUES...

PRÊTS...

PARTEZ!

MIAM!

MINOU

BEURP
CLING!
MINOU

QUELLE PERFORMANCE INCROYABLE! NOUVEAU MINOU A RÉUSSI L'IMPOSSIBLE : ELLE A GAGNÉ TOUTES LES ÉPREUVES DES FÉLYMPIQUES!

C'est plus qu'un chat que nous avons là, c'est un SUPER CHAT!

MTF, je me sens beaucoup mieux à présent. Je vais interroger la gagnante.

Nouveau Minou, vous avez accompli une performance extraordinaire aujourd'hui. Comment expliquez-vous cet incroyable talent dont vous avez fait preuve?

On ne peut
mieux dire!

Aïe!

Je m'adresse maintenant au PERDANT.
MINOU

Alors... maintenant que vous avez PERDU, pouvez-vous nous dire comment on se sent quand on PERD, car c'est la première fois que vous PERDEZ cette épreuve et en plus, vous avez PERDU contre une inconnue.

MINOU

J'entends par là que... vous n'avez pas simplement PERDU, vous avez subi une DÉFAITE colossale! Vous n'avez même pas failli gagner! J'ai tout vu et on peut dire que vous vous êtes fait BATTRE à plate couture. Avez-vous lutté, au moins? Parce que comme DÉFAITE, c'en était toute une!

Donc, euh... Hum... Eh bien... avez-vous, euh... des commentaires? Non? Euh... Vraiment? Rien du tout? Hum... Vous en êtes sûrs?

Eh bien, chers amis, une nouvelle épreuve vient de s'ajouter et c'est le 100-MÈTRES-SAUVE-QUI-PEUT! Tous ceux qui réussissent à rentrer chez eux indemnes gagnent.

* Attention! Chaud devant! Par ici la sortie!

Merci d'avoir assisté aux Jeux félympiques. Nous retournons maintenant à notre programmation habituelle : la grosse crise de colère méga bruyante.

• CHAPITRE 5 •

NOTRE PROGRAMMATION HABITUELLE : LA MÉGA CRISE DE COLÈRE

Ça y est... Tu l'as fait encore. Tout le monde s'amusait et il a fallu que tu piques une colère. Et pourquoi, je te le demande? Parce que tu as perdu à quelques jeux, voilà tout.

Tu sais, Minou, nous t'aimons bien, mais parfois, tu n'es pas seulement un **méchant Minou**. Tu es aussi un méchant perdant.

Non, Minou. Ce n'est pas sa faute. C'est rien que la tienne.

Où vas-tu comme ça?

Non, Minou. La petite ne s'en va pas. Elle reste ici, avec nous, que ça te plaise ou non.

Mais non, Minou. On ne peut pas la rendre.

Non, Minou. On ne va pas la vendre non plus.
Ça suffit maintenant!

Minou, je ne comprends pas pourquoi tu agis ainsi. Vous vous ressemblez tellement, tous les deux. Vous aimez égratigner les choses. Vous aimez mâchouiller des trucs qui ne vont pas dans la bouche. Vous avez un gros appétit.

Et vous êtes tous les deux
adoptés.

C'est vrai, Minou. La petite a besoin de quelqu'un pour la nourrir, pour lui lire des histoires et pour jouer avec elle. Elle a besoin qu'on l'aime et qu'on prenne soin d'elle. Toutou et toi, vous avez eu besoin de tout ça quand vous étiez petits.

Et comme Toutou et toi, ce bébé a besoin de vivre dans un environnement chaleureux et sécuritaire.

Cette petite a besoin d'un foyer, comme Toutou et toi, vous en avez eu besoin un jour. Ici, elle a tout ça…

Et toi aussi.

MIAOU-OU-
OU-OU-OU!
CHIEN EN PRIME AVEC TOUT ACHAT

Ne pleure pas, Minou! Tout va bien. On te pardonne! Toutou, arrête, je t'en prie! D'ailleurs, pourquoi pleurez-vous?

Écoutez, tous les deux, si vous n'arrêtez pas tout de suite, vous allez faire peur au...

OUIN

Oh! Trop tard.

MONONC' MAURICE, LE CURIEUX

COMMENT FAIT-ON DESCENDRE UN CHAT D'UN ARBRE?

On le laisse là, Saint-Salsifis!

Dans la plupart des cas, un chat coincé dans un arbre va trouver tout seul le moyen de descendre, notamment en comprenant qu'il doit s'y prendre à reculons. Il existe toutefois quelques façons de lui venir en aide.

1)

MIAM

Ouvre une boîte de sa nourriture préférée et pose-la sous l'arbre. Dans la mesure du possible, assure-toi qu'il peut la voir, puis éloigne-toi. Il n'y a rien de tel pour convaincre un chat de courir un risque.

2)

Si tu as une échelle suffisamment grande pour atteindre le chat ou pour t'en approcher, appuie-la solidement contre l'arbre et laisse le chat descendre tout seul.

3)

Éloigne-toi de l'arbre ou, mieux encore, laisse ton chat seul. Parfois, même les meilleures intentions ne font qu'accroître sa nervosité et rendre l'expérience encore plus traumatisante. La meilleure stratégie consiste encore à lui laisser le temps de trouver la nourriture ou l'échelle lui-même.

Mais si les heures passent ou s'il commence à faire nuit ou froid, alors il est peut-être temps de prendre la situation en main. Si le chat n'est pas juché trop haut et que ton échelle est assez solide, mets un bon manteau et une paire de gants de travail, et va le chercher. Approche lentement afin de ne pas l'affoler davantage. Essaie de l'attraper par la peau du cou (même si les chats détestent ça), car tu auras besoin de ton autre main pour descendre.

Si la situation empire ou si le chat est simplement trop haut dans l'arbre pour que tu puisses aller le chercher, n'appelle pas les pompiers. Malgré ce qu'on croit, plusieurs services d'incendie observent une politique stricte interdisant de tels sauvetages. En effet, le sauvetage d'un chat coincé dans un arbre pourrait les retarder si un incendie se déclarait ailleurs.

Communique plutôt avec le refuge pour animaux ou la société de protection des animaux de ta région. Ce sont de vrais pros!

Génial. Et c'est maintenant que vous me le dites!

• CHAPITRE 6 •

UN NOUVEAU DÉPART

Eh bien, Minou, je trouve ça chouette que vous soyez devenus proches.

Même si parfois...

Non, Minou! La petite n'utilise pas la litière, comme toi. Elle porte une couche.

Non, Minou! La petite ne mange pas ta nourriture.
Elle mange des pommes, des bananes et des céréales.

Non, Minou! Elle ne joue pas avec une souris en tissu comme toi. Elle préfère les cubes, les petites voitures et les anneaux de dentition.

Non, Minou! Tu n'as pas besoin de lécher la petite pour la nettoyer comme tu le fais avec ta fourrure. Pour la laver, on lui donne un BAIN.

Mais oui, Minou. Les bébés prennent des BAINS. Les bébés aiment les BAINS. En fait, maintenant que la petite est couverte de litière, de nourriture pour chats, de poils de souris synthétiques et de salive, elle a besoin qu'on lui donne son…

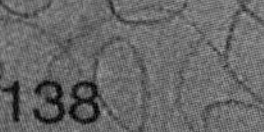

Voyons, Minou, ne sois pas bête. Elle aime prendre son bain. Réellement. Je t'assure. Tu ne me crois pas?

Que fais-tu, Minou? Veux-tu m'aider à la mettre dans le bain? Veux-tu m'aider à lui donner son bain? Minou?

Minou...?

Oups!

BA
BA!
Méchant Minou prend un bain
C'est ta fête!
Méchant Minou contre oncle maurice
GRAND LIVRE DES ROBOTS

• ANNEXE •
COMMENT DRESSER UN CHAT

Pendant les Félympiques, on voit les chats se surpasser dans des activités typiquement félines comme miauler et manger. En fait, les chats sont capables de faire de véritables tours d'adresse, même si ce sont les chiens qui ont la réputation d'être doués dans ce domaine.

Pour enseigner des tours à ton chat, garde des croquettes à portée de main. Tu devras le récompenser chaque fois qu'il t'obéira.

VIENS : Ce truc devrait être facile. Chaque fois que tu nourris ton chat, appelle-le en utilisant le même mot, comme « viens » ou « ici », par exemple. Au bout d'un certain temps, ton chat va venir chaque fois que tu l'appelles de cette manière. Récompense-le avec une croquette quand il t'obéit.

ASSIS : Tends une croquette devant le museau de ton chat. Quand il fait mine de s'y intéresser, déplace la croquette au-dessus de sa tête jusqu'à ce qu'il s'assoie. Donne-lui alors la croquette. Quand tu auras réussi à lui faire exécuter ce truc plusieurs fois, introduis l'ordre « assis » dans l'exercice. Au bout d'un moment, il devrait s'asseoir sur demande.

DONNE LA PATTE : Quand tu auras réussi à faire asseoir ton chat, tape-lui doucement sur la patte avant en disant « donne la patte ». S'il lève la patte de lui-même, prends-la doucement dans ta main et donne-lui une récompense.

DONNE LES DEUX PATTES : Une fois que ton chat maîtrisera bien le tour « assis », essaie de le lui faire faire en tenant la croquette un peu plus haut que d'habitude. Il lui faudra plusieurs essais avant de réussir, mais dès qu'il lèvera les deux pattes, donne-lui sa récompense. Avec le temps, tu pourras tenir la croquette plus haut. Ainsi, tu finiras peut-être par entraîner ton chat à se tenir debout sur ses pattes arrière.

Quand tu exerces ton chat à exécuter des tours, rappelle-toi deux choses. La première : SOIS PATIENT. Le chat peut mettre des jours, des semaines et même des mois à apprendre les trucs les plus simples. Tout dépend de son caractère. La deuxième : NE SURALIMENTE PAS TON CHAT. C'est amusant de lui apprendre des tours, mais il ne faut pas que ton animal souffre d'embonpoint à cause de toutes les croquettes que tu lui donnes en récompense.

À PROPOS DE L'AUTEUR

NICK BRUEL a écrit et illustré plusieurs livres très amusants, qui lui ont valu une grande popularité auprès des jeunes lecteurs ainsi que plusieurs prix.

À propos de Méchant Minou, des gens très importants ont dit :

* « Un des chats les plus dramatiques et les plus expressifs jamais créés à l'aquarelle. »
— *Kirkus Reviews*

* « Fera hurler de rire les jeunes lecteurs. »
— *Publishers Weekly*

Dans la même collection :

Méchant Minou prend un bain
Méchant Minou C'est ta fête!
Méchant Minou contre Oncle Maurice